M000214627

Le Petit Chaperon Vert

Grégoire Solotareff

Le Petit Chaperon Vert

Illustrations de Nadja

Mouche
l'école des loisirs
11, rue de Sèvres, Paris 6ᵉᵛ

© 1989, l'école des loisirs, Paris
Loi n° 49.956 du 16 juillet 1949 sur les publications
destinées à la jeunesse : septembre 1989
Dépôt légal : août 2016
Imprimé en France par l'imprimerie Pollina à Luçon - L78167

ISBN 978-2-211-20947-2

pour tous les chaperons vert-pâle,
vert-bouteille, vert-olive, vert-autobus,
vert-émeraude, vert-pomme,
olivâtres, verdâtres et vert-foncé

Il était une fois une petite fille que tout le monde appelait « Petit Chaperon Vert » parce qu'elle portait une sorte de capuchon pointu et vert.

Sa grande sœur portait un chaperon jaune et sa meilleure amie, un chaperon bleu.

Elle avait une ennemie (une petite fille qu'elle détestait parce que c'était une menteuse) qui, elle, portait un chaperon rouge…

… et celle-là, elle la détestait vraiment.

Un jour, sa mère lui dit :

— Petit Chaperon Vert, ta grand-mère est très malade.

— Oh non ! fit la petite fille, qui aimait beaucoup sa grand-mère.

— Il faut lui porter des médicaments et de bonnes choses à manger, mais ni ta sœur ni ton père ne sont là. Est-ce que tu as le courage d'y aller, malgré le loup qui rôde, affamé, dans la forêt ?

— Bien sûr, répondit la petite fille.

– Voilà, prends ce panier et va, mais fais bien attention au loup !

– Oui, oui, dit la petite fille.

Elle partit courageusement après avoir
mis son chaperon vert.

Et dans le bois, qui rencontra-t-elle ?

Le Petit Chaperon Rouge, qui cueil-
lait des fleurs et ramassait des girolles !

Elle aussi avait un panier rempli de
médicaments et de nourriture, et le Petit
Chaperon Vert pensa que sa grand-mère
aussi devait être malade.

Comme elle la détestait, elle ne lui dit pas bonjour et passa son chemin.

Elle n'avait pas fait cent pas qu'un
énorme loup noir la croisa en courant,
hors d'haleine.

Elle n'eut même pas le temps d'avoir vraiment peur, tellement le loup allait vite ; et lui ne fit pas attention à la petite fille tout de vert vêtue, assise dans les herbes vertes de la forêt.

Une fois remise de ses émotions, elle reprit son chemin.

Arrivée chez sa grand-mère, le Petit Chaperon Vert tira la chevillette pour que la bobinette puisse choir, et la porte s'ouvrit.

La petite fille donna ses médicaments et les bonnes choses à manger à sa grand-mère. La vieille dame ne voulut même pas y goûter tant elle se sentait mal.

— Ne t'approche pas de mboi, dit-elle à la petite fille, tu es mbignonne à croquer

bais j'ai un gros rhumbe et tu risques de l'attraper. Il ne mbanquerait plus que ça !

— Bien, Grand-Mère, dit la petite fille. Alors je m'en vais. Au revoir ! Ah ! J'ai oublié de te le dire : j'ai rencontré le loup.

— Hein ? fit la grand-mère. Mbon Dieu ! Et tu n'as pas eu peur ?

— Pas du tout, dit la petite fille. Il courait tellement vite qu'il n'a pas eu le temps de me voir.

— Mbon Dieu ! répéta la grand-mère.
Quelle chance tu as eue !

Elle lui fit un baiser sur la main et la
petite fille s'en alla.

Sur le chemin du retour, elle croisa le
Petit Chaperon Rouge qui continuait à
cueillir des fleurs bien tranquillement.

— Tu sais, lui dit le Petit Chaperon
Vert, je ne t'aime pas mais je voudrais
quand même te prévenir : j'ai vu le loup,
tout à l'heure !

— *Moi aussi, moi aussi,* chantonna le Petit Chaperon Rouge en lui tirant la langue.

Il m'a même demandé
Ce-que-je-faisais
Dans les bois
Et-où-j'allais
Avec mon panier
Nanananananère !

— Attention, il est très méchant ! dit le Petit Chaperon Vert. Tu chantes, tu chantes, mais tu sais ce qui peut arriver ? Eh bien, il peut te manger et même manger ta grand-mère !

— Manger ma grand-mère ? fit le Petit Chaperon Rouge en levant les yeux au ciel. Pfff ! Tu dis n'importe quoi !

— On verra, dit le Petit Chaperon Vert, on verra !

Le Petit Chaperon Rouge lui tira
une dernière fois la langue et continua
à cueillir des fleurs comme si de rien
n'était. Le Petit Chaperon Vert rentra à
la maison.

— Alors ? lui dit sa maman. Tout s'est bien passé ?

— Très bien, dit le Petit Chaperon Vert. Mère-grand a simplement un gros rhume et elle n'a pas voulu m'embrasser. Je lui ai quand même donné tout ce que tu avais préparé pour elle.

— Bien, dit sa maman. Et tu n'as rencontré personne dans les bois ?

— Si ! Le Petit Chaperon Rouge. Et puis le loup, aussi.

— Mon Dieu ! fit la maman. Le Petit Chaperon Rouge ? Mais c'est terrible, ce que tu me dis là ! Le loup va la manger ! Ne sais-tu pas que le loup mange tout ce qui est rouge ? La viande rouge, les fruits rouges, mais surtout les petites filles habillées en rouge ?

– Mais non, Maman, ne t'inquiète pas, dit la petite fille. J'ai vu le Petit Chaperon Rouge *après* avoir croisé le loup qui courait à toute vitesse, il avait l'air très pressé.

– Ah bon ! fit la maman avec un soupir de soulagement. Tu me rassures. Mais quand même, je ne suis pas tout à fait tranquille, tu ne voudrais pas la raccompagner chez elle ? Je sais que tu n'aimes pas tellement le Petit Chaperon Rouge, mais si jamais il lui arrivait quelque chose, ce serait terrible ! Et toi, habillée en vert, avec ton chaperon vert parmi les hautes herbes vertes de la forêt verte, tu ne risques pas grand-chose. C'est d'ailleurs pour ça que je t'habille toujours en vert.

Le Petit Chaperon Vert retourna courageusement dans le bois bien que la nuit fût sur le point de tomber et qu'elle détestât le Petit Chaperon Rouge.

À peine avait-elle fait deux cents
pas qu'elle rencontra des chasseurs
qui transportaient le loup ligoté sur
une branche, tout à fait mort. Et qui
les accompagnait ?

Le Petit Chaperon Rouge, qui courut
vers elle dès qu'elle l'aperçut, en chantant :

— *Tu avais raison*

Tu avais raison

Le loup m'a mangée

Le loup m'a mangée

Et-il-a-aussi

Mangé ma grand-mère

Nananananère.

– Je ne te crois pas ! dit le Petit Chaperon Vert. Tu es une menteuse. J'ai dit ça pour te faire peur et toi, tu crois que c'est la vérité ?

– *Et même qu'on nous a sorties*
Toutes les deux
Du ventre du loup,
Nananananère

répondit le Petit Chaperon Rouge.

Mais le Petit Chaperon Vert lui tournait déjà le dos et rentrait à la maison en haussant les épaules.

Arrivée chez elle, elle dit à sa mère :

— Maman, le Petit Chaperon Rouge est rentrée chez elle et les chasseurs ont tué le loup !...

… Et tu sais ce qu'elle m'a dit, cette menteuse de Petit Chaperon Rouge? Que le loup l'avait mangée, et même qu'il avait mangé sa grand-mère! Et qu'on les avait sorties de son ventre toutes les deux!

— Oh ! dit la maman, tu sais, il y a des enfants qui mentent et ce n'est pas bien du tout. C'est pourquoi je te demande de ne jamais mentir.

— Je te le promets, dit le Petit Chaperon Vert.

Et sa mère lui fit un baiser.

— D'ailleurs, un jour, personne ne la croira plus, si elle ment tout le temps, ajouta le Petit Chaperon Vert.

— Exactement, dit sa mère.

Et toutes deux se mirent au coin du feu en attendant que le dîner cuise.

Dehors, le vent soufflait très fort et il commençait à faire bien froid, au cœur de la forêt.